W0353937

La minute nécessaire
de Monsieur Cyclopède

Du même auteur

AUX MÊMES ÉDITIONS

Manuel de savoir-vivre à l'usage des rustres et des malpolis, *1981, et « Points », n° P 401.* – Vivons heureux en attendant la mort, *1983, rééd. 1991, 1994 et « Points », n° P 384.* – Dictionnaire superflu à l'usage de l'élite et des bien nantis, *1985 et « Points », n° P 403.* – Des femmes qui tombent, *roman, 1985 et « Points », n° P 479.* – Chroniques de la haine ordinaire, *1987, rééd. brochée 1991 et « Points », n° P 375.* – Textes de scène, *1988 et « Points », n° P 433.* – Fonds de tiroir, *1990.* – Les étrangers sont nuls, *1992 et « Points », n° P 487.* – Les Bons Conseils du professeur Corbiniou, *1997.* – La seule certitude que j'ai, c'est d'être dans le doute, *1998.*

AUX ÉDITIONS RIVAGES

L'Almanach, *1988.*

AUDIOVISUEL

Pierre Desproges portrait, *Canal + Vidéo, cassette vidéo, 1991.* – Les Réquisitoires du tribunal des flagrants délires, *EPIC, disque et cassette, 1993.* – Chroniques de la haine ordinaire, *EPIC, disque et cassette, 1994 et cassette vidéo, 1996.* – Pierre Desproges au théâtre Fontaine, *EPIC, disque et cassette et cassette vidéo, 1995.* – Pierre Desproges au théâtre Grévin, *EPIC, disque et cassette et cassette vidéo,* 1996.

ISBN 2-02-31427-4
(ISBN 2-02-026093-X, 1re édition)

Pierre Desproges

La minute nécessaire de Monsieur Cyclopède

Éditions du Seuil

Amusons-nous avec un être cher et un canon.
Apprenons à faire décoller une Alsacienne.
Apprenons à pratiquer
l'interruption volontaire de vieillesse.
Apprenons à reconnaître un communiste.
Apprenons à vaincre la mort avec un marteau.
Asseyons un aveugle dans le fauteuil d'un sourd.
Bouffons du flic.
Bouffons du lion.
Censurons le rossignol.
Chassons nos comédons avec tact.
Commémorons gaiement la mort de Pasteur.
Commémorons n'importe quoi.
Compatissons aux misères humaines à peu de frais.
Concubinons dans la trépidance
avec une star du muet.
Décrispons la Berrigoulaine.

Défendons la veuve contre l'orphelin.
Démoralisons une majorette.
Départageons les ex aequo
au hit-parade des bienheureux.
Dissolvons la monarchie absolue
dans l'acide sulfurique.
Égayons une veillée funèbre.
Épanouissons notre libido
à l'intérieur des liens sacrés du mariage.
Époustouflons maints œnologues.
Esbaudissons-nous de la précocité de Mozart.
Esbaudissons-nous de la justesse
d'un dicton populaire.
Essayons de ne pas rire avant la fin d'Hamlet.
Essayons en vain de cacher notre antisémitisme.
Essayons vainement de faire apparaître
la Sainte Vierge.
Étudions le cochon narquois.
Euthanasions un kamikaze.
Évaluons le quotient intellectuel de Beethoven.
Évitons d'importuner l'étrangleur.
Évitons de sombrer
dans l'antinazisme primaire.
Exultons dès potron-minet grâce à la science.
Faisons exploser notre sensualité à peu de frais.
Humilions le chancelier Adolf Hitler.
Ignifugeons Louis XVI.
Insonorisons une Andalouse.

Jouons à colin-maillard avec un aveugle.
Jouons à saute-dictateur.
Livrons-nous à la débauche
en pleine rue Jean-Jaurès.
Maîtrisons un escargot forcené.
Napoléons.
Observons le dégustateur d'obus.
Observons les jumeaux à la jumelle.
Ouvrons les fenêtres (1er volet).
Penchons-nous avec mansuétude
sur la détresse ordinaire.
Petitpatapons.
Pontifions dans la papauté.
Pouffons dans l'espace.
Présentons Napoléon à Louis Armstrong.
Raillons l'héroïsme.
Remettons le Petit Prince à sa place.
Rendons hommage à Néfertitine.
Rendons hommage à Victor Hugo
sans bouger les oreilles.
Rentabilisons intelligemment
une Paimpolaise anxieuse.
Rentabilisons la colère de Dieu.
Rentabilisons un général de brigade
entre deux guerres mondiales.
Rentabilisons la minute de silence.
Respectons la beauté de la guerre
en apprenant à reconnaître l'ennemi.

Retrouvons le fils caché de Tintin.
Rompons notre solitude avec un marteau.
Sachons distinguer une balle à blanc
d'une balle à noir.
Sachons distinguer une gardienne
d'immeuble d'un oléoduc.
Sachons faire ronronner une secrétaire trilingue.
Sachons planter les choux.
Sachons reconnaître la Joconde du Jocond.
Sachons reconnaître un centaure d'un percheron.
Sachons reconnaître une tête à claques.
Souillons le souvenir illustre
d'un généralissime oublié.
Touchons du doigt le fond de la misère humaine.
Transformons une grenouille
en plombier charmant.
Tuons le temps en attendant la mort.
Visitons la foire aux cactus.
Voyons si sainte Blandine est cancérigène.
Voyons voir si la Sainte Vierge est malpolie.
Voyons voir si Superman ne serait pas
un peu métèque sur les bords.

Décrispons la Berrigoulaine

CYCLOPÈDE

Stoïquement plantée au bout de la digue fouettée par les embruns, la Berrigoulaine…

BERRIGOULAINE *(main en visière)*

Pas Berrigoulaine, Pimpolichone.

CYCLOPÈDE

… la Berrigoulaine guette nuit et jour le retour du marin parti naguère guerroyer le hareng à bord du trois-mâts « Le Remous ». *(Cyclopède va rejoindre la Berrigoulaine et regarde la mer ; il retourne à son bureau.)* Mais « Le Remous » tarde, et la Berrigoulaine s'étiole.

BERRIGOULAINE

Je m'étiole. Le jour ça va encore. Je peux compter les mouettes. Mais, à partir de 20 h 30, je peux dire que je m'étiole.

Cyclopède

Heureusement, « La minute nécessaire de M. Cyclopède » va venir tous les soirs à partir de 20 h 30 sur une chaîne de télévision dont je tairai le nom pour ne pas faire de publicité à FR3.

Berrigoulaine *(toujours même pose)*

Maintenant que Cyclopède est de retour, je peux dire que je me fends la coiffe.

Cyclopède *(ouvrant porte horloge comtoise)*

ÉTONNANT, NON ?

Voyons voir si Superman ne serait pas un peu métèque sur les bords

CYCLOPÈDE

Superman était-il un vrai Français ? Voilà une question intelligente, et qu'on ne peut s'empêcher de poser quand on sait que Superman ne sauve personne pendant le Sabbat.

Quoi qu'il en soit, pour savoir si Superman est français ou métèque, le plus simple est d'aller demander à ses grands-parents.

(Chez les grands-parents, ils épluchent des haricots verts. Elle et lui portent la tenue de Superman – la cape rouge, le pull collant bleu et le « S » sur la poitrine.)

CYCLOPÈDE

Je me trouve chez Superpapy et Supermamy, les grands-parents de Superman. À première vue, ils ont l'air français, mais cela reste à prouver. Regardez bien.

(Ils mettent leur chapeau.)

SUPERPAPY

On y va, maman.

SUPERMAMY

On y va, papa.

CYCLOPÈDE

Eh bien oui, vous avez compris : Supermamy et Superpapy sont bretons.

En effet, ils ont des chapeaux ronds, vive la Bretagne, ils ont des chapeaux ronds, vivent les Bretons.

(Superpapy et Supermamy chantent.)

SUPERPAPY ET SUPERMAMY

On a des chapeaux ronds…

CYCLOPÈDE

ÉTONNANT, NON ?

Amusons-nous avec un être cher et un canon

(Cyclopède et Sandrine, côte à côte, sur deux tabourets.)

CYCLOPÈDE

Pour tuer le temps en attendant la mort, de nombreuses personnes jouent à « Pince-mi, Pince-moi » avec l'être cher.

Comme ceci *(à Sandrine)* : Pince-mi et Pince-moi sont dans un bateau. Pince-mi tombe dans l'eau. Qu'est-ce qui reste ?

SANDRINE *(après réflexion)*

Euh… Pince-moi ?

(Il la pince. Elle dit aïe et rit sottement.)

CYCLOPÈDE

Malheureusement, quand on a joué pendant plusieurs heures d'affilée à « Pince-mi, Pince-moi », il arrive qu'une certaine lassitude apparaisse chez l'un des joueurs…

SANDRINE

… ou chez les deux.

CYCLOPÈDE

C'est pourquoi j'ai inventé une variante amusante à ce jeu. Regardez bien.

(On retrouve Cyclopède assis derrière un canon, genre bombarde moyenâgeuse. Il tient un boulet de canon dans une main. Mèche dans l'autre. Sandrine sur son tabouret, à un ou deux mètres, dans la ligne de mire.)

Ce nouveau jeu s'appelle « Bombarde-mi, Bombarde-moi ». Il se joue ainsi *(à Sandrine)* : Bombarde-mi et Bombarde-moi sont dans un bateau. Bombarde-mi tombe dans l'eau. Qu'est-ce qui reste ?

SANDRINE

Euh… Bombarde-moi ?

CYCLOPÈDE *(après avoir bombardé Sandrine)*

ÉTONNANT, NON ?

Apprenons à faire décoller une Alsacienne

CYCLOPÈDE *(devant l'Alsacienne)*

Contrairement à ce que croit le commun des mortels, l'Alsacienne moyenne est beaucoup plus qu'une simple Berrichonne.

Son envergure exceptionnelle, la gracilité de son empennage, la beauté de sa queue font de l'Alsacienne un volatile très apprécié des connaisseurs.

ALSACIENNE

Ça, non, je dois vous dire que…

CYCLOPÈDE

Malheureusement, l'Alsacienne, d'un naturel volontiers casanier, renâcle le plus souvent à l'idée de prendre son envol.

ALSACIENNE

Je renâcle à l'idée de prendre mon envol.

CYCLOPÈDE

C'est pourquoi, afin de faciliter son décollage, nous userons d'un aimable stratagème.

(Paquet marqué : SAUCISSES DE STRASBOURG. Accrocher une saucisse à un bâton. Alsacienne sur escabeau. Montrer saucisse comme âne-carotte. Elle décolle.)

CYCLOPÈDE

(suivant du regard le vol de l'Alsacienne)

ÉTONNANT, NON ?

Apprenons à pratiquer l'interruption volontaire de vieillesse

CYCLOPÈDE

Grâce à l'intervention volontaire de grossesse, la femme moderne peut désormais sortir la tête haute et le ventre plat.

Mais un nouveau pas vers l'humanisation de la médecine peut encore être franchi : je veux parler non plus de l'IVG, mais de l'IVV, l'« interruption volontaire de vieillesse ».

Voyez ce septuagénaire chenu.

VIEILLARD

Je m'emmerde.

CYCLOPÈDE

Qu'attend-il encore de la vie ?

VIEILLARD

Rien du tout, je m'emmerde.

CYCLOPÈDE

Notre devoir n'est-il point de pratiquer sur lui l'IVV afin d'abréger son ennui ? Si, bien sûr. À une seule condition : que l'intéressé donne son accord. *(Au vieux :)* Cher vieux, êtes-vous d'accord pour que nous pratiquions sur vous l'interruption volontaire de vieillesse ?

VIEILLARD

Non, ah non !

CYCLOPÈDE *(le tuant à coups de masse)*

De toute façon, à cet âge-là, on ne sait plus ce qu'on dit.

VIEILLARD

Aaaaargh !

CYCLOPÈDE

ÉTONNANT, NON ?

Apprenons à reconnaître un communiste

CYCLOPÈDE

Les communistes ne sont pas des gens comme nous. Ils renversent les monarchies, ils bafouent les libertés, et ils mangent les enfants. Certains même ne vont pas à la messe.

C'est pourquoi il est important de savoir reconnaître un communiste, afin de pouvoir le dénoncer aux autorités d'occupation… aux autorités, pardon !

En fait, il est très facile de reconnaître un communiste, grâce à la radioscopie. Regardez bien.

Voici tout d'abord la radioscopie d'un homme normal.

(On passe un homme normal à la radio. On voit son âme – un papillon ? – et son cœur.)

Nous voyons ici le cœur. Et ici, l'âme.

Voici maintenant la radioscopie d'un communiste.

(Le communiste – patibulaire, foulard rouge, etc. – passe à la radio. On voit nettement qu'il n'a ni âme ni cœur – une pierre ?)

CYCLOPÈDE
(montrant du doigt le communiste tête basse)
Que constatons-nous ? Que le communiste n'a pas d'âme, ni de cœur. La honte l'envahit.

LE COMMUNISTE *(honteux)*
Si, j'ai un cœur. Mais il est à Moscou. La honte m'envahit.

CYCLOPÈDE
ÉTONNANT, NON ?

Compatissons aux misères humaines à peu de frais

CYCLOPÈDE *(très grave)*

Les deux tiers de l'humanité meurent de faim. Gavé de viandes grasses et boursouflé de saindoux, l'homme occidental acceptera-t-il plus longtemps l'atroce destin des enfants faméliques aux yeux fiévreux qui se fanent en silence avant d'avoir vécu ? Non !

Pour les affamés du monde entier, il est grand temps d'agir.

(On élargit pour découvrir trois ou quatre hommes gras et torse nu, alignés côte à côte.)

CYCLOPÈDE

Alors messieurs, si vous le voulez bien, à mon commandement… Un, deux, trois !!!

(À trois, les hommes rentrent le ventre.)

CYCLOPÈDE

ÉTONNANT, NON ?

Départageons les ex aequo au hit-parade des bienheureux

CYCLOPÈDE

Un quarteron de bigotes inassouvies me demandent qui de saint Martin ou de saint Vincent de Paul était le plus charitable.

Aucun doute n'est permis. C'est saint Vincent de Paul qui fait premier au hit-parade des bienheureux.

SAINT VINCENT (DESPROGES)
(bras en l'air sous les applaudissements)

Merci ! Merci ! Merci !

CYCLOPÈDE

Certes, le geste de saint Martin fut grandiose.

(On voit un pauvre en toile de sac. Une main off lui jette à la gueule une moitié – dans le sens vertical – d'un manteau. Le pauvre l'enfile en remerciant fébrilement.)

Mais saint Vincent de Paul a fait beaucoup plus que donner la moitié de son manteau à un pauvre. Il a donné la moitié de son pauvre à la science.

(Un infirmier en blouse emmène les jambes du pauvre et dit merci.)

SAINT VINCENT
(à côté du cul-de-jatte/table percée)

C'est peu de chose…

CYCLOPÈDE

ÉTONNANT, NON ?

Apprenons à vaincre la mort avec un marteau

(Table – pot de porcelaine avec couvercle – marteau.)

CYCLOPÈDE

Bien qu'il n'y ait plus de saisons et que le prix du super ait encore augmenté, de nombreuses personnes renâclent à l'idée de mourir un jour.

Eh bien *(sourire rassurant)*, j'ai une bonne nouvelle : à partir d'aujourd'hui, plus personne ne mourra. En effet, je viens de faire une importante découverte. J'ai découvert que la mort était provoquée par un virus ! *(Solennel.)* LA MORT EST UNE MALADIE CONTAGIEUSE. *(Montrant le pot fermé – nom du virus écrit sur le pot « CURRICULUM TERMINUS ».)* J'ai isolé ce virus ! Il ne me reste plus qu'à le détruire devant vous, et la mort sera vaincue. Regardez bien.

(Il prend le marteau, soulève le couvercle – roulements de tambour –, le virus de la mort essaie de

s'échapper, mais Cyclopède lui fout un coup de marteau sur la gueule.)

VIRUS DE LA MORT

Aaaaargh !

CYCLOPÈDE

Et voilà ! La mort est vaincue.

ÉTONNANT, NON ?

Asseyons un aveugle dans le fauteuil d'un sourd

CYCLOPÈDE

(Pendant que la traductrice « parle » sourd avec gestes.) À la suite de ma démonstration du fauteuil pour sourd, de nombreux non-entendants, non-comprenants m'ont fait part de leur inquiétude. *(Lisant.)* « S'agit-il bien là d'un fauteuil spécifiquement conçu pour nous ? » m'écrit un sourd de Lourdes (Hautes-Pyrénées). « Un aveugle peu scrupuleux ne pourrait-il pas tenter de s'asseoir dans NOTRE fauteuil ? »

Eh bien soyez rassuré, cher sourd. Le fauteuil pour sourd a été conçu pour vous, et pour vous seuls, les sourds. Regardez bien.

(L'aveugle – canne blanche ou lunettes – debout à côté du fauteuil pour sourd.)

(Traductrice : même jeu.)

CYCLOPÈDE

J'ai ici près de moi un magnifique fauteuil pour sourd et un aveugle quelconque. Regardez bien.

AVEUGLE

Moi ?

CYCLOPÈDE

Non, vous, tenez-vous prêt. Un, deux, trois… Asseyez-vous !

(L'aveugle s'assied par terre, à côté du fauteuil.)

CYCLOPÈDE *(doublé par mime de la traductrice)*

ÉTONNANT, NON ?

Commémorons gaiement la mort de Pasteur

CYCLOPÈDE

Nous commémorons cette année avec joie la mort de deux grands savants français : Louis Pasteur qui inventa la rage…

PASTEUR (DESPROGES)
(bras en l'air en vainqueur)

Merci ! Merci ! Merci !

CYCLOPÈDE

… et Marie Curie, qui inventa la contagion.

MARIE CURIE *(même jeu que Pasteur)*

Merci ! Merci !

CYCLOPÈDE

Cela, tout le monde le sait. Mais ce qu'on sait moins, c'est que Louis Pasteur et Marie Curie étaient très intimes, au point que, quand Pasteur contracta la rage, Marie Curie la contracta aussi. Mais pas de la même façon.

Regardez. *(Il sort.)*

(Cyclopède rentre dans le champ. À droite, Marie Curie, grognant comme un chien sous un réverbère. À gauche, Pasteur, blouse blanche, la joue gonflée entourée d'un bandeau blanc.)

CYCLOPÈDE

Comme vous le prouve à l'évidence ce document extraordinaire, Marie Curie avait la rage dehors, alors que Pasteur avait la rage de dents.

ÉTONNANT, NON ?

Bouffons du flic

CYCLOPÈDE

Bouleversés par l'émouvant hommage que nous avons rendu ici même à Louis Pasteur, le génial inventeur de la rage…

PASTEUR (DESPROGES)

C'est moi.

CYCLOPÈDE

… de nombreux sous-doués me demandent en quoi consiste exactement la pasteurisation, à laquelle le regretté Loulou donna son nom.

PASTEUR *(pendant que le lait déborde sur un réchaud à gaz)*

C'est pourtant simple. La pasteurisation consiste à porter des aliments à une température de 75 à 85° pour tuer les microbes sans altérer le goût, et sans faire chier les vitamines.

Sorcier

C'est pas sorcier !

(Le sorcier touille dans un tonneau d'où émerge la tête d'un agent de police – Desproges en képi.)

Pasteur

Comme vous le voyez, on peut même pasteuriser des fonctionnaires assermentés…

Sorcier

… sans faire chier les vitamines ! *(À la caméra :)* Moi, ce que j'aime dans le poulet, c'est le blanc…

Flic

C'est là qu'y a les vitamines !

Cyclopède

ÉTONNANT, NON ?

Bouffons du lion

CYCLOPÈDE

François d'Assise était-il aussi cruel que Néron ? C'est la question qui est sur toutes les lèvres, à quelques semaines de la Saint-François.

FRANÇOIS (DESPROGES)

Ça va être ma fête.

CYCLOPÈDE

… et à huit jours de la Saint-Néron.

NÉRON (DESPROGES)

Moi aussi. C'est bientôt ma fiesta. Olé !

CYCLOPÈDE

Eh bien, contrairement à ce que croit la majorité des gens, qui ne sont pas l'élite, sinon par définition ils ne seraient pas la majorité des gens, eh bien dis-je, c'est François d'Assise qui était le plus cruel des deux. Et je le prouve. Regardez bien.

(On voit un lion, serviette au cou, finissant de manger un chrétien.)

CYCLOPÈDE

Alors que Néron se contentait d'envoyer les chrétiens au lion, François, lui, faisait pire : il envoyait le lion aux chrétiens. Regardez mieux.

(Le lion entre deux moines. Ils tiennent un recueil de cantiques et chantent – écho cathédrale.)

LION + MOINES

(Ils chantent un cantique ennuyeux – lecture recto tono d'une vie de saint.)

LION *(en aparté, face caméra)*

Je m'emmerde !

CYCLOPÈDE

ÉTONNANT, NON ?

Censurons le rossignol

CYCLOPÈDE

De nombreux imbéciles me demandent ce qu'est un ornithologue. C'est pourtant simple, comme son nom l'indique, l'ornithologue est une personne qui étudie les zornithos. Attention les enfants : on dit un zornithal, des zornithos.

ORNITHOLOGUE *(en blouse blanche, près d'un arbre sur les branches duquel sont perchés des poussins)*

Question zornithos j'en connais un rayon.

Les principaux zornithos sont la fauvette, le flamant fourbe, l'hirondelle outrée, le couroucoucou ; le colibri fouille-merde et le rossignol.

CYCLOPÈDE

L'ornithologue reconnaît un zornitho rien qu'à son chant.

(Il met un bandeau à l'ornithologue.)

(L'ornithologue, l'oreille aux aguets, les yeux sous un bandeau. Chaque poussin chante à tour de rôle et, à chaque fois, avec des mines d'œnologue pompeux, l'ornithologue laisse tomber le verdict.)

POUSSIN N° 1

Cui cui cui.

ORNITHOLOGUE

Euh… Fauvette !

POUSSIN N° 2

Cui cui cui.

ORNITHOLOGUE

Soyez assez aimable pour répéter. Hum… … Hirondelle outrée ! *(Etc., etc. Finir sur un poussin-rossignol.)*

POUSSIN-ROSSIGNOL

Cui cui cui.

ORNITHOLOGUE *(à la caméra, en crise de nerfs)*

J'ai horreur du chant du rossignol.

(Cyclopède tire un coup de feu. Des plumes tombent du ciel.)

CYCLOPÈDE

ÉTONNANT, NON ?

Chassons nos comédons avec tact

(Cyclopède + Africain assis sur une table.)

CYCLOPÈDE

De très nombreux messieurs s'étonnent de ne pas plaire aux femmes alors qu'ils sont beaux, riches, intelligents et français.

C'est sans doute qu'ils ont des points noirs disgracieux.

(Gros plan sur l'Africain.)

AFRICAIN

J'ai des points noirs disgracieux.

CYCLOPÈDE

Heureusement, je viens de faire une découverte incroyable. J'ai constaté que, pour faire disparaître les points noirs, il suffisait de les peindre en blanc.

Regardez bien.

(Il passe au pinceau chaque point noir de l'Africain.)

AFRICAIN

À nous les filles !

CYCLOPÈDE

ÉTONNANT, NON ?

Commémorons n'importe quoi

CYCLOPÈDE

Si vous le voulez bien, nous commémorons ce soir le centenaire de la mort du grand savant français Jean-Pierre Démoral. De même que Louis Pasteur inventa la pasteurisation, c'est à Jean-Pierre Démoral que nous devons la démoralisation, et je dis bravo.

DÉMORAL (DESPROGES)
(sous les vivats de la foule)

Merci… Merci beaucoup… Merci…

CYCLOPÈDE

Jean-Pierre Démoral commença humblement ses expériences sur sa logeuse, Mme Brouchard, qu'il démoralisa le 12 septembre 1847.

CONCIERGE

Y fait beau.

DÉMORAL *(à la concierge)*

Ça va pas durer.

CONCIERGE

Je suis démoralisée.

CYCLOPÈDE

Encouragé par ce premier résultat, il découragea un an plus tard le sous-préfet de l'Isère.

SOUS-PRÉFET

Y fait beau.

DÉMORAL

Ça va pas durer.

SOUS-PRÉFET

Je suis démoralisé.

CYCLOPÈDE

Au sommet de sa carrière, Jean-Pierre Démoral réussit même à démoraliser le dernier tsar de toutes les Russies, Nicolas II.

NICOLAS II

Y fait beau.

DÉMORAL *(sur fond sonore de révolution soviétique :* L'Internationale*)*

Ça va pas durer.

NICOLAS II

Je suis démoralisé-skaïa.

CONCIERGE

Seule ombre à sa gloire, Jean-Pierre Démoral ne parvint jamais à démoraliser l'escargot de Bourgogne.

DÉMORAL *(à l'escargot)*

Y va pleuvoir.

ESCARGOT

Hi ! Hi ! Hi !

CYCLOPÈDE *(triste sous un parapluie)*

ÉTONNANT, NON ?

Concubinons dans la trépidance avec une star du muet

(Cyclopède et star du muet. Elle réagit par mimiques en accéléré à tout ce qu'il dit. – Bureau avec lampe.)

CYCLOPÈDE[1]

Le but de l'homme moderne sur cette terre est à l'évidence de s'agiter sans réfléchir dans tous les sens, afin de pouvoir dire fièrement, à l'heure de sa mort : « Je n'ai pas perdu mon temps. »

Malheureusement, malgré toute sa bonne volonté, l'homme est souvent contraint de galvauder ce temps précieux en mesquines manifestations de sa vie animale dont l'Amour, hélas ! n'est pas le moindre.

C'est pourquoi, afin de réduire au minimum ce temps consacré à aimer son prochain, l'homme a tout intérêt à choisir, de préférence à toute autre

1. Penser à bégayer sur un mot pour que la star « bégaie » aussi en muet.

femme, la star du muet, dont l'exquis silence n'a d'égal que l'extrême rapidité de mouvements. Regardez bien.

(Il éteint la lampe. Noir total d'une seconde à peine…)

Vous regardez bien… Araaaah…

(Quand il rallume, ils sont à moitié allongés sur le bureau, à peine échevelés.)

ÉTONNANT, NON ?

Défendons la veuve contre l'orphelin

CYCLOPÈDE

Une groupie du « Jésus fan-club » me demande s'il est bien exact que Jésus-Christ était plus fort que Superman.

Hélas ! non, chère groupie. Certes, Jésus multipliait les pains dans le désert. Mais Superman, lui, multipliait les pains dans la gueule. C'est mieux. Regardez bien.

(Une pauvre femme excédée par son petit garçon qui joue du tambour – ou qui chante faux.)

LA PAUVRE FEMME

Assez ! Assez ! Je n'en puis plus. Au secours Superman !

(Tonnerre, éclair, bruit de vitre brisée – Superman tombe du ciel à pieds joints dans la pièce.)

SUPERMAN

C'est à quel sujet ?

LA PAUVRE FEMME

Je ne supporte plus d'entendre mon petit… *(Superman boxe l'enfant.)* La vache. Ça fait du bien quand ça s'arrête. *(Tâtant les biceps du héros.)* Seul Superman défend la veuve contre l'orphelin.

(Superman décolle.)

CYCLOPÈDE *(pendant que Superman vole devant son bureau)*

ÉTONNANT, NON ?

Dissolvons la monarchie absolue dans l'acide sulfurique

(En scène dès le début, Cyclopède en Louis XIV – voir le tableau de Rigaud – bonbonne d'acide sulfurique avec tête de mort, et baril pouvant contenir Louis XIV debout, dépassant à mi-corps.)

CYCLOPÈDE

Peut-on dissoudre la monarchie absolue ?

Certes non, s'écrient les royalistes fanatiques irréductibles à la solde des Bourbons.

LOUIS XIV

L'État, c'est moué.

CYCLOPÈDE

Bien sûr que si, rétorquent les démocrates congénitaux à la solde de la République. Alors qui croire ?

LOUIS XIV

L'État, c'est moué.

CYCLOPÈDE

Qui croire ? Eh bien, une fois de plus, c'est de la rigueur de l'expérience scientifique que jaillira la lumière. Regardez bien.

CYCLOPÈDE *(off)*

Pour réussir cette expérience, il suffit d'avoir sous la main une barrique, Louis XIV et une bonbonne d'acide sulfurique. *(Joignant le geste à la parole.)* On met Louis XIV dans la marmite. On verse lentement le vitriol…

(Fumées, sinistres glouglous gargouilleux, Louis XIV commence à fondre lentement, c'est-à-dire qu'il s'enfonce lentement dans la marmite.)

CYCLOPÈDE

Eh bien oui, le peuple a raison : Louis XIV est soluble dans l'acide sulfurique.

LOUIS XIV *(seule la tête dépasse encore)*

L'État, c'est mou.

(Il coule et disparaît tout à fait.)

CYCLOPÈDE

ÉTONNANT, NON ?

Démoralisons une majorette

CYCLOPÈDE *(souriant)*

Joviale jusqu'à friser l'hébétude, la majorette affiche en permanence sur son visage hilare la fringante sérénité des êtres que nul doute n'habite.

MAJORETTE
(défilant sur place, lançant le bâton…)

J'affiche sur mon visage hilare la fringante sérénité des êtres que nul doute n'habite. En permanence.

CYCLOPÈDE *(de moins en moins souriant)*

Il arrive qu'à la longue les contemporains de la majorette prennent ombrage de cette insupportable image de bonheur. Eh bien, pour y mettre fin, c'est très simple : il suffit d'être armé d'une haine tenace pour tout ce qui est beau, et d'un pistolet de calibre 9 mm.

(Quand elle lance le bâton, il tire. Le bâton ne redescend pas. Tête et mimiques de la majorette.)

ÉTONNANT, NON ?

(Le bâton retombe en deux morceaux.)

Égayons une veillée funèbre

CYCLOPÈDE

À part le défunt lui-même qui n'en a plus rien à secouer, les proches venus rendre hommage à la dépouille mortelle d'un cher disparu s'emmerdent profondément lors de la traditionnelle veillée funèbre. Pourtant, avec un brin d'humour et un peu de volonté, il est facile de devenir à peu de frais celui ou celle dont on dira : « Ah, j'ai veillé son défunt tonton, qu'est-ce qu'on s'est amusé ! »

Comment ? C'est simple. Regardez bien.

(Chambre mortuaire. Le mort – Cyclopède maquillé – est entouré d'ombres en larmes.)

LA VEUVE

Je m'emmerde profondément.

(La veuve a déjà installé un gonfleur de bateau pneumatique sous la tête du mort et lui a mis un

nez rouge. Elle appuie de temps en temps sur la poire du gonfleur avec la main. Ses bâillements font place peu à peu à des rires joyeux.)

CYCLOPÈDE *(ôtant son nez rouge)*

ÉTONNANT, NON ?

Épanouissons notre libido à l'intérieur des liens sacrés du mariage

(Cyclopède et femme au lit. Table de nuit, lampe de chevet. Très chic. Elle lit Claudel.)

CYCLOPÈDE

En amour, on est toujours deux : un qui s'emmerde et un qui est malheureux. *(Échange regards.)* Que nous soyons l'un ou l'autre, c'est à l'intérieur des liens sacrés du mariage et nulle part ailleurs que nous devons épanouir notre libido, ne serait-ce que pour limiter au maximum les risques d'excommunication…

ELLE

… et le mépris des voisins.

CYCLOPÈDE

… et le mépris des voisins. C'est pourquoi, afin d'exulter à la maison, nous devons apprendre les trente-deux positions de l'Amour. Aujourd'hui : première position. Regardez bien.

(Il éteint. Noir.)

CYCLOPÈDE

Alors ça, là, n'est-ce pas, et ça, là, voyez-vous.

ELLE

Comme ça ?

CYCLOPÈDE

Non, pas comme ça, comme ça.

ELLE

Comme ça ?

CYCLOPÈDE

Oui. C'est très bien. C'est très, très bien.

ELLE

En effet, c'est épatant. Vraiment épatant. Ah oui, ah oui. Oui.

CYCLOPÈDE *(rallume. Légèrement ébouriffé)*

ÉTONNANT, NON ?

Époustouflons maints œnologues

CYCLOPÈDE

Afin d'éblouir un maximum d'imbéciles et de séduire un maximum de dindes lors d'un dîner bourgeois, il est très important de savoir reconnaître un grand vin, au premier coup de langue, voire même au premier coup d'œil.

On cite même le cas d'un éminent œnologue qui savait identifier un grand cru au bruit du vin coulant dans le verre.

Mais, dans un premier temps, restons modeste, et contentons-nous aujourd'hui d'apprendre à reconnaître un simple châteauneuf-du-pape.

Regardez bien :

(On le retrouve à une table de resto avec panier de vin et bouteille de vin rouge style bourgogne, sans étiquette. Le pape est assis de dos. Cyclopède se sert un verre, le regarde longuement dans la lumière.)

Eh bien oui, vous avez compris : le châteauneuf a une belle robe rouge, alors que le pape a une belle robe blanche.

ÉTONNANT, NON ?

Esbaudissons-nous de la précocité de Mozart

CYCLOPÈDE

Aujourd'hui, c'est à vous que je m'adresse, chers enfants. Savez-vous, petits connards, qu'à l'âge où vous jouez aux billes comme des imbéciles, Wolfgang Amadeus Mozart, lui, avait déjà atteint le génie ?

MOZART ENFANT *(suffisant)*

J'ai toujours été précoce, en tant qu'enfant.

CYCLOPÈDE

Savez-vous qu'à huit ans et demi Mozart avait déjà composé le *Boléro* de Ravel ?

MOZART ENFANT

(massacrant le Boléro sur un piano d'enfant)

Faut l'faire !

CYCLOPÈDE

Savez-vous qu'à douze ans et demi, accompagné

par le quatuor Amadeus, Mozart avait déjà déshonoré sa cousine, la petite Koechel 506 ?

MOZART ENFANT
(barbouillé de rouge à lèvres – débraillé)

Faut l'faire.

CYCLOPÈDE

Il était tellement précoce, Mozart, qu'à trente-cinq ans et demi il était déjà mort.

MOZART (DESPROGES)
(sur son lit de mort, relevant la tête)

Faut l'faire.

CYCLOPÈDE

ÉTONNANT, NON ?

Esbaudissons-nous de la justesse d'un dicton populaire

CYCLOPÈDE

Quoi de plus réconfortant, en ce siècle glacé, figé, engoncé dans son froid rigorisme, que de vérifier encore l'exquise sagesse de ces vieux dictons populaires que nos ancêtres, gorgés de vin rouge et boursouflés d'idées reçues, jetaient jadis dans l'âtre, au cœur paisible des veillées campagnardes ?

Mais, direz-vous, ces vieux dictons n'ont-ils pas pris quelques rides ?

Pour le savoir, nous pouvons prendre un bon rat, un bon chat, une pierre qui roule et de la mousse, par exemple. Mais il y a mieux, regardez bien.

(Il plonge un chihuahua vivant, avec ruban à cheveux, dans une marmite d'eau en train de bouillir, avec bouquet garni, sel, poivre...)

CARTON : « Deux heures plus tard. »

(À l'aide d'une écumoire, Cyclopède ressort de l'eau bouillante quelques os et un ruban.)

Eh oui, le vieux dicton a raison : Chihuahua bouillu, chihuahua foutu.

ÉTONNANT, NON ?

Essayons de ne pas rire avant la fin d'Hamlet

CYCLOPÈDE

Une brassée de sous-doués irrécupérables me demandent aimablement à quel moment il faut rire, pour ne pas être ridicule, quand on assiste à une pièce de théâtre.

Eh bien, chers amis minables, c'est très simple. Il suffit de reconnaître une pièce comique d'une pièce tragique. Comment ? Regardez :

(Deux placards. Un homme – off – ouvre un placard. Il y a un amant en caleçon à l'intérieur.)

LE PUBLIC *(off)*

(Rires énormes et applaudissements.)

(L'homme referme la porte du placard. La caméra remonte sur l'autre placard. Apparaît Hamlet, crâne en main.)

HAMLET

To be or not to be…

CYCLOPÈDE

Eh bien oui, vous avez compris. Dans une pièce comique, l'amant est dans le placard. Dans une pièce tragique, l'amant est sur le placard.

TÊTE DE MORT *(voix d'outre-tombe)*

ÉTONNANT, NON ?

Essayons en vain de cacher notre antisémitisme

CYCLOPÈDE

On peut diviser l'humanité en deux grandes catégories : les juifs et les antisémites. De nos jours, afin de ne pas être ridicule en société, il est très important que les antisémites apprennent à cacher leur antisémitisme. Mais ce n'est pas si simple. Regardez bien.

JUIF

Je suis le juif.

(Cyclopède – béret, baguette – se tourne vers juif impassible. Cyclopède ne peut réprimer grognement canin.)

CYCLOPÈDE

Grrrrrrrrr Grrrrrrrrr Grrrrrrrrr !

(Regard vers la caméra.)

Non ce n'est pas simple. À moins d'user d'un habile stratagème. Lequel ? Regardez bien.

(Il sort une cagoule, l'enfonce sur la tête du juif. Se tourne de nouveau vers juif. Parvient cette fois à retenir son grognement.)

CYCLOPÈDE

Eh bien oui, vous avez compris. Il est beaucoup plus facile de cacher son juif que de cacher son antisémitisme.

ÉTONNANT, NON ?

Essayons vainement de faire apparaître la Sainte Vierge

CYCLOPÈDE

De nombreuses personnes s'imaginent que, pour voir apparaître la Sainte Vierge, il suffit de ramasser du bois mort dans les Pyrénées-Orientales en enjambant des ruisseaux. C'est faux.

Pour être sûr de bien voir apparaître la vraie Sainte Vierge, il faut de surcroît être une humble bergère.

(On le retrouve grimé et vêtu en humble bergère : haillons, bâton, perruque à couettes, gambadant en ramassant du bois mort dans les Pyrénées-Orientales. Bêlements dans le lointain. La Sainte Vierge apparaît dans un éclair, au fond d'une grotte lourdaise. C'est une concierge. Chiffon dans les cheveux, balai, seau.)

SAINTE VIERGE

Ah ben oui, mais quand on est une fausse bergère, faut pas s'attendre à tomber sur une vraie Vierge…

CYCLOPÈDE *(Soubirous)*

ÉTONNANT, NON ?

Étudions le cochon narquois

CYCLOPÈDE *(près d'un cochon)*

Une poignée de crétins cochonophages me demandent pourquoi les cochons des pays musulmans affichent en permanence cet air arrogant.

COCHON

Grooink.

CYCLOPÈDE

C'est pourtant simple : vivant dans un pays où la religion interdit formellement la consommation de viande de porc, le cochon oriental ne craint pas pour ses côtelettes. C'est pourquoi il a toujours la truffe narquoise et le groin suffisant.

COCHON *(narquois)*

Grooink.

CYCLOPÈDE

Mais alors, direz-vous, pourquoi les musulmans ne

bouffent-ils pas cet imbécile *(montre le cochon)* qui fait rien qu'à se moquer d'eux ?

FEMME-TCHADOR *(fourchette près de la bouche)*
Si vous croyez que c'est facile !

CYCLOPÈDE
ÉTONNANT, NON ?

Euthanasions un kamikaze

CYCLOPÈDE

En temps de paix, le kamikaze n'a plus de raison de sauter sur quoi que ce soit d'inflammable. Il s'étiole. Le suicide était le seul but de son existence : maintenant qu'il n'a plus de raison de mourir, il n'a plus de raison de vivre.

KAMIKAZE

Je dois dire qu'il est difficile d'être plus mal dans ma peau.

(Il est debout sur un escabeau, sur un pied, et bras tendus pour faire l'avion.)

CYCLOPÈDE

Heureusement, grâce à la charité chrétienne, il est possible d'aider le kamikaze à en finir en déclenchant en lui cette irrépressible envie d'exploser sur l'ennemi qui lui valut naguère son immense prestige auprès des gonzesses. Comment ? C'est simple : il suffit d'imiter le cri du porte-avions. Regardez bien. *(Avec la bouche, Cyclopède fait :)* Pout, Pout, Pout, Pout, Pout, Pout…

KAMIKAZE *(sautant – ailes écartées)*

Banzaï !

CYCLOPÈDE

ÉTONNANT, NON ?

Évaluons le quotient intellectuel de Beethoven

CYCLOPÈDE

De nombreux mélomanes non comprenants sont persuadés que Beethoven était non entendant. C'est faux. Beethoven n'était pas sourd. Beethoven était con. Et je le prouve. Regardez bien.

(Beethoven très sombre, devant une table à côté d'un médecin, avec quatre belles pommes, semble réfléchir...)

DOCTEUR

Réfléchissez, monsieur Beethoven. Ne vous affolez pas. Je répète la question : combien y a-t-il de pommes sur cette table ?

BEETHOVEN

... Huit, docteur !

DOCTEUR

Recomptez-les, Ludwig, comptez-les. Allez, y va recompter les pommes.

BEETHOVEN *(au paroxysme de la concentration crispée, pointant chaque pomme)*

POM... POM... POM... POM... POM... POM... POM... POM... Euh... huit ?

DOCTEUR

Quel con !

CYCLOPÈDE *(compatissant)*

ÉTONNANT, NON ?

Évitons d'importuner l'étrangleur

CYCLOPÈDE

De nos jours, on peut vivre sans parler anglais. C'est en tout cas ce que tout le monde prétend. Et moi je dis que cela reste à prouver. Regardez bien.

(Rue obscure. Un truand est en train d'étrangler une femme.)

LA FEMME

Help ! Help ! Aaaaargh… Help !

(Un quidam passe à leur hauteur.)

QUIDAM *(faux-cul, à la caméra)*

Je ne parle pas anglais. C'est dommage, car je ne comprends pas ce que me dit cette femme.

CYCLOPÈDE *(tandis que le quidam passe son chemin et que le truand achève la femme)*

Eh bien oui, vous l'avez constaté de visu : on peut

très bien vivre en ne parlant que le français. Alors que, comme cette pauvre femme, on peut mourir en parlant l'anglais.

LA FEMME

It is the fin des haricots.

CYCLOPÈDE

ETONNING, NOT ?

Faisons exploser notre sensualité à peu de frais

(Cyclopède et Sandrine côte à côte, lui en smoking, elle style Chanel.)

CYCLOPÈDE

Pour qu'un couple soit une réussite et que triomphe l'Amour, il faut que l'homme et la femme aient des goûts communs et une sensibilité commune, et, bien sûr, qu'ils gagnent au moins trente mille francs par mois. Mais ce n'est pas tout.

SANDRINE

En effet, sans une parfaite harmonie sexuelle, l'intensité de notre passion s'effilocherait au fil des jours, tel le nuage moribond qui s'écartèle au vent mauvais.

CYCLOPÈDE

C'est pourquoi nous allons apprendre ensemble dès aujourd'hui les trente-deux positions de l'Amour.

SANDRINE

Ah oui !

CYCLOPÈDE

Aujourd'hui, première position. Regardez bien. Un, deux, trois.

(Toujours en smoking et tailleur Chanel, à un mètre l'un de l'autre, il fait le cochon pendu, elle le grand écart.)

ÉTONNANT, NON ?

Nota : en remplaçant le cochon pendu et le grand écart par d'autres figures somptueuses, tels le poirier ou l'avion, n'y aurait-il pas matière à trente-deux émissions ?

Humilions le chancelier Adolf Hitler

CYCLOPÈDE

Dans le peloton cliquetant des ordures galonnées qui ont fait trembler le monde sous la terreur infernale de leur tyrannie hystérique, Adolf Hitler arrive largement en tête.

(Plan de Hitler en crise d'hystérie.)

HITLER

Ich bin n° 1 hit-parade crapules !

CYCLOPÈDE

Un être aussi abject est-il capable de ressentir le moindre sentiment humain ?

Pour le savoir, il suffit de suivre l'immonde tyran dans sa promenade matinale.

HITLER *(se promenant, soulève sa casquette pour saluer successivement une passante et un passant)*

Bonjour, madame Brouchard. Bonjour, monsieur Legrubier.

(Brouchard et Legrubier, hautains, ne répondent pas et passent leur chemin. Hitler stupéfait deux fois.)

CYCLOPÈDE

Eh oui, Hitler était capable d'un sentiment humain : il souffrait quand on ne lui disait pas bonjour.

HITLER

De nos jours on ne respecte plus rien.

CYCLOPÈDE

ÉTONNANT, NON ?

Insonorisons une Andalouse

(Cyclopède assis, avec chapeau andalou, guitare à la main, à côté de l'Andalouse en costume qui répète les gestes de flamenco pendant qu'il parle.)

CYCLOPÈDE

L'Andalouse est une fille farouche à l'œil de braise dont la danse échevelée exprime douloureusement toute la fierté ombrageuse de ce grand peuple orgueilleux.

ANDALOUSE

Ma danse échevelée exprime douloureusement la fierté ombrageuse d'un grand peuple orgueilleux.

CYCLOPÈDE

Malheureusement, sa voix insupportable, ses talons pointus et ses castagnettes font de l'Andalouse un véhicule extrêmement bruyant.

(Il attaque à la guitare. Elle se met à danser. La guitare s'arrête. Elle continue. Vacarme claquettes et castagnettes. Finir sur deux coups de talon et un Olé ! strident de l'Andalouse, suivi aussitôt après de deux coups de balai – off – du voisin du dessous.)

CYCLOPÈDE

C'est pourquoi, avant d'utiliser l'Andalouse aux abords des hôpitaux et des cimetières, nous devons préalablement l'insonoriser. Comment ? Regardez bien.

(Il lui met des charentaises et colle les castagnettes l'une à l'autre. Attaque à la guitare. Guitare s'arrête. Elle danse dans un silence impressionnant. Finir sur les deux coups de talon totalement insonores suivis d'un Olé ! encore plus strident.)

ÉTONNANT, NON ?

Jouons à colin-maillard avec un aveugle

CYCLOPÈDE

Le Seigneur a dit : « Tu aimeras ton prochain comme toi-même. » Personnellement, je préfère moi-même. Et d'ailleurs, j'ai horreur qu'on me tutoie. Cependant, avec un peu d'entraînement, nous devons parvenir à aimer notre prochain presque autant que moi-même.

Dans un premier temps, tentons d'aimer un prochain handicapé, c'est plus facile, son infirmité le rendant évidemment plus perméable à notre amour qu'un grand beau balaise.

(On le retrouve debout près d'un aveugle, également debout.)

La meilleure façon d'aimer notre prochain comme moi-même consiste à l'intégrer le plus naturellement du monde à nos jeux. Ainsi vais-je maintenant condescendre à jouer à colin-maillard avec ce sympathique aveugle.

AVEUGLE

Chic !

CYCLOPÈDE

Car l'aveugle est le seul prochain qui soit toujours prêt, sans le moindre accessoire, à jouer à colin-maillard.

AVEUGLE

Sans le moindre accessoire !

CYCLOPÈDE *(à la caméra)*

Regardez bien.

AVEUGLE

Moi ?

CYCLOPÈDE

Non, pas vous. *(À la caméra :)* Vous regardez bien ? *(Cyclopède se noue un foulard sur les yeux.)* Prêt ?

AVEUGLE

Prêt !

CYCLOPÈDE *(soulevant son foulard pour tricher et touchant l'aveugle toujours immobile)*

C'est l'aveugle !

AVEUGLE *(il pouffe)*

On s'est bien amusé !

CYCLOPÈDE

ÉTONNANT, NON ?

Jouons à saute-dictateur

CYCLOPÈDE

De nombreux imbéciles révolutionnaires, originaires de diverses démocraties tyranniques en voie de développement, me demandent la marche à suivre pour abattre la dictature étouffante qui les opprime pendant les heures ouvrables. C'est pourtant simple. Regardez bien.

(Cyclopède assis sur une chaise ; à côté, un dictateur assis sur une espèce de trône.)

Dans un premier temps, il faut renverser le tyran.

(Cyclopède passe derrière le trône, soulève les deux pieds arrière du trône. Tyran tombe quatre pattes en l'air.)

Une fois le tyran renversé, il suffit de lui rabaisser son caquet pour pouvoir jouer à saute-dictateur.

(Cyclopède le retourne. Tyran se retrouve en position saute-mouton. Cyclopède joue à saute-mouton.)

Hop, hop, hop, hop, hop.

ÉTONNANT, NON ?

Ignifugeons Louis XVI

CYCLOPÈDE

Tout fout l'camp. Nos plus nobles traditions se perdent. Aujourd'hui, par exemple, on ne poudre même plus les présidents de la République avant de les sortir, et si on continue à leur cirer les pompes il y a belle lurette qu'on ne leur lave plus les pieds.

Il y a deux siècles, la populace était bien plus respectueuse de son souverain. Tenez-vous bien. Tenez-vous mieux. Savez-vous qu'en 1783…

LOUIS XVI

Je veux, mon n'veu !

CYCLOPÈDE

… avant de montrer un feu d'artifice royal, on allait jusqu'à ignifuger Louis XVI ! Regardez bien.

(Cyclopède en Louis XVI – une main avec pompe genre Flytox asperge Louis XVI.)

Ainsi, le roi de France était totalement ininflammable.

TÊTE DE LOUIS XVI COUPÉE SUR UN PLATEAU
(maquillage mort – d'abord yeux fermés)
On aurait mieux fait d'ignifuger Jeanne d'Arc.

CYCLOPÈDE
ÉTONNANT, NON ?

Livrons-nous à la débauche en pleine rue Jean-Jaurès

CYCLOPÈDE

De très nombreuses personnes, comme cette téléspectatrice de Lourdes *(il montre la lettre)* me font part de la difficulté qu'elles ont à se livrer à la débauche en pleine rue Jean-Jaurès à cause *(il lit)* « des promiscuités citadines souvent malveillantes ». Eh bien, désormais, grâce au gouzigouzidrôme portable *(il montre et déploie un sauna portatif à deux trous pour deux têtes)*, nous pourrons nous livrer tranquillement à nos plus effroyables pulsions sexuelles sans risquer de nous faire lapider, même en pleine rue Jean-Jaurès.

(On retrouve Cyclopède et une femme dans la rue Jean-Jaurès. Ils sont dans le gouzigouzidrôme, face à face ; seule leur tête dépasse. Ils marchent l'un en avant, l'autre à reculons.)

ELLE

Oh lala, oh oui, oh oui, oh lala.

CYCLOPÈDE

Alors, heureuse ?

ELLE

Oh oui, oh lala, oh lala, oui oui.

UN PASSANT *(soulevant son chapeau en les croisant)*

Bonjour, monsieur. Bonjour, madame.

CYCLOPÈDE ET ELLE

Bonsoir, monsieur Petitpont.

ELLE *(à la caméra)*

Grâce au gouzigouzidrôme portable, la folie des sens en pleine rue Jean-Jaurès n'est plus un vain mot. Oh oui, oh lala.

CYCLOPÈDE

ÉTONNANT, NON ?

Maîtrisons un escargot forcené

CYCLOPÈDE

Les Français aiment les escargots.

Mais les escargots n'aiment pas les Français. C'est pourquoi les Français doivent se méfier des escargots qui, sous des dehors bon enfant, cachent en réalité une âme de fauve prêt à bondir.

Heureusement, grâce à l'amitié franco-espagnole, nous viendrons à bout des escargots.

(On découvre un escargot sur tournette.)

CYCLOPÈDE *(off)*

Les Espagnols sont un peuple fier et ombrageux, avec un tout petit cul pour éviter les coups de corne. C'est ce qui fait de l'Espagnol le meilleur allié de la France dans la lutte contre l'escargot.

(Scène de tauromachie, émaillée d'onomatopées hispano-colimaçonnes comme : Olé, anda les cor-

nas, Olécolimazonné, é muerto el gastéropodo, viva la muerta del colimazonné, rentra la coquilla, ho bigorno ! etc., jusqu'à ce que l'escargot vaincu rentre dans sa coquille. Finir sur matador un genou à terre recevant des roses.)

ESPAGNOL

Quelquéfois mêmé, yé réçois les oreilles y la queue doun colimazonné. Olé.

CYCLOPÈDE

ÉTONNANT, NON ?

Napoléons

CYCLOPÈDE

De nombreux imbéciles antibonapartistes primaires me demandent si Napoléon est bien en enfer. Le plus simple est d'y aller voir.

(Enfer : Napoléon – maillot de corps – chapeau – dans un tonneau fumant. Près de lui, le diable avec sa fourche.)

NAPOLÉON

Waterloo, morne plaine !...

LE DIABLE *(le piquant de sa fourche)*

Ah, ta gueule !

CYCLOPÈDE

Eh oui, à l'heure où je vous parle, Napoléon cuit. Qui l'eût cru ?

NAPOLÉON

Waterloo, morne plaine !

CYCLOPÈDE

Et l'Aiglon, direz-vous ? S'est-il envolé au paradis d'un coup d'aile fragile et désespéré ?

LE DIABLE *(se baissant dans son tonneau, il en ressort par une patte un poulet plumé)*

L'Aiglon ? Il est là l'Aiglon. Le voilà l'Aiglon !

CYCLOPÈDE *(tandis qu'une plume lui passe devant le nez)*

ÉTONNANT, NON ?

Observons le dégustateur d'obus

(Bruitage champ de bataille, canon.)

CYCLOPÈDE

À la guerre, tout le monde déguste.

(Chute de boulets de canon et de plâtre tombant sur le bureau.)

Merci. Mais celui qui déguste le plus, c'est évidemment le dégustateur d'obus.

DÉGUSTATEUR D'OBUS (DESPROGES)
(élégant officier dans un fauteuil à bascule – très british)

Qu'est-ce que je déguste !

CYCLOPÈDE

Nous devons admirer et respecter le valeureux dégustateur d'obus. Grâce à lui, quand arrivera la

Troisième Guerre mondiale, nous saurons mettre un nom sur la mitraille qui nous déchiquettera.

Regardons ensemble le dégustateur d'obus.

(Le dégustateur casqué est assis sur les obus qui tombent autour de lui. Comme un œnologue, à chaque fois, il hume et annonce fièrement le diamètre de l'obus. Il reçoit une bouteille de vin.)

DÉGUSTATEUR D'OBUS

Chateau-lafite 66. 75. 50. 125. Aïe. 110. 125…

CYCLOPÈDE

ÉTONNANT, NON ?

Observons les jumeaux à la jumelle

CYCLOPÈDE

Comment reconnaître au premier coup d'œil un vrai jumeau d'un faux jumeau ? m'écrit Mme Miro de Colombey-les-Deux-Ovules.

Rien n'est plus simple. Regardez.

(On voit un homme très triste.)

Voici un homme très triste. Son frère jumeau l'a quitté ; il ne supporte pas la séparation.

HOMME TRISTE

Aïe. Aïe. Aïe.

CYCLOPÈDE

Cet homme est donc un vrai jumeau. Car seul un vrai jumeau ne supporte pas d'être séparé de son frère.

(On voit maintenant un homme absolument identique à celui du plan précédent, assis. À côté de lui, une femme plie son tricot.)

Voici maintenant un faux jumeau.

LA DAME

Bon ben faut que j'y aille.

(Elle se lève, embrasse l'homme sur les deux joues, quatre fois.)

L'HOMME

Non, Tatie Paulette, ne me quitte pas.

LA DAME

Ah quand faut y aller faut y aller. *(Elle sort.)*

CYCLOPÈDE

Eh bien oui, vous avez compris. Cet homme est un faux jumeau, car, comme nous le dit Pythagore, un faux jumeau supporte d'être séparé de son frère, mais pas de sa Tatie Paulette.

L'HOMME

Damned, je suis fait.

CYCLOPÈDE

ÉTONNANT, NON ?

Ouvrons les fenêtres (1er volet)

CYCLOPÈDE

Avant l'invention de l'espéranto, le barrage de la langue constituait une inépuisable source de discorde entre les hommes. Rappelez-vous.

(Deux petites tables bistrot, ou banc public.)

FEMME *(sort cigarette de son sac, cherche feu, ne trouve pas. S'adresse au voisin lisant journal. Elle a cigarette à la bouche)*

Puis-je vous demander du feu, s'il vous plaît ?

HOMME *(après avoir regardé sa montre)*

La cinquo de la tarde, signora.

FEMME

Quel imbécile !

Cyclopède

Aujourd'hui, grâce à l'espéranto, nous pouvons allègrement enjamber les odieuses frontières du langage. Regardez bien.

Femme

Puis-je vous demanda du feuti, s'il vous plo ?

Homme

Ah ! désola, j'ai pas mes allumetti.

Femme

Quel cono !

Cyclopède

ÉTONNI, NA ?

Petitpatapons

CYCLOPÈDE

Ne nous voilons pas la face, la Troisième Guerre mondiale est inéluctable. Il ne nous reste plus beaucoup de temps pour rigoler. Alors dépêchons-nous. Nous allons jouer au rébus vivant. Regardez bien.

(Côte à côte, Néron ivre, coupe en main, allongé près d'une bergère, et un homme très petit.)

Cette scène doit irrésistiblement vous évoquer le titre d'une vieille chanson française… Non ? Bon, voilà qui va vous aider.

PETIT HOMME

Je suis le petit patapon.

NÉRON

Je suis… HIC… Néron.

LA BERGÈRE

Je suis la bergère.

CYCLOPÈDE

Eh bien oui, vous avez compris. Le titre de la chanson est *Il était une bergère.*

(Montrant tour à tour la bergère, Néron, le petit homme.)

Il était une bergère
Néron est rond
Petit patapon

(Les personnages reprennent la chanson.)

CYCLOPÈDE

ÉTONNANT, NON ?

Exultons dès potron-minet grâce à la science

CYCLOPÈDE

Le rasage du matin, le pointage à l'usine et le devoir conjugal sont les trois mamelles du travailleur moderne.

Or trois mamelles, n'est-ce point une de trop ? Si ! Dieu merci, grâce à la stupéfiante fécondité de mes récents travaux, j'ai réussi à débarrasser l'humanité de l'une de ces trois insupportables corvées quotidiennes : le rasage du matin. Comment ? C'est très simple. Regardez bien.

(Il se met mousse avec blaireau. Sort un rasoir. Le jette.)

Eh oui ! Grâce au premier rasoir jetable AVANT usage, le rasage du matin n'est plus qu'un mauvais souvenir ! Lors d'un prochain entretien, nous verrons ensemble comment supprimer le devoir conjugal à peu de frais.

ÉTONNANT, NON ?

Pontifions dans la papauté

CYCLOPÈDE

De très nombreux imbéciles légitimement boursouflés de complexes d'infériorité me font part de la difficulté qu'ils éprouvent à masquer leur vulgarité congénitale dans les soirées protocolaires.

En effet, afin de ne pas être ridicule en société, il est primordial de savoir reconnaître, au premier coup d'œil, le grand-père du pape ou le père du patriarche d'Athènes, pour prendre un exemple courant. Comment les distinguer l'un de l'autre ? C'est simple, regardez bien.

(Au milieu de ce monologue, on a découvert de part et d'autre de Cyclopède deux vieillards. L'un tient une baguette de pain sous le bras, l'autre se gratte frénétiquement la tête.)

FIGURANT 1

Je suis le père de Sa Béatitude.

FIGURANT 2

Je suis le grand-père de Sa Sainteté.

CYCLOPÈDE

Eh bien oui, vous avez compris. Le papa du pope a du pain. Le papy du pape a des poux.

(Cyclopède chante sur air Trénet, cymbale à la fin.)

« L'papy du pape a des poux lui. »

ÉTONNANT, NON ?

Pouffons dans l'espace

CYCLOPÈDE

De nombreux humanoïdes boursouflés de culture pseudo-spatiale s'étonnent que Dieu, dans son infinie sagesse, n'ait jamais songé à créer la vie ailleurs que sur la Terre.

Eh bien détrompez-vous, chers crétins intersidéraux : sur Mars aussi, le sixième jour, Dieu dit : « Que le con soit. » Et le con fut.

(Plan Adam martien – fumée.)

Puis il créa la femme.

(Ève martienne – apparition fumée.)

Puis Dieu leur dit : « Allez en paix dans mon paradis. »

Mais hélas !... regardez.

Adam

Moi Tarzan, toi Jeanne.

Ève *(elle glousse)*

Hi Hi Hi !

Adam

Vous dansez ?

Ève

Je peux pas, je garde le sac à ma copine.

Cyclopède

Conséquence ? C'est l'évidence ! Eh oui : pas de danse, pas de descendance. Voilà pourquoi il n'y a pas de vie sur Mars.

Adam et Ève

ÉTONNANT, NON ?

Présentons Napoléon à Louis Armstrong

CYCLOPÈDE

On peut difficilement s'empêcher de penser que si Napoléon avait vécu quatre-vingt-dix ans de plus il aurait très bien connu Louis Armstrong. Quel dialogue époustouflant n'eussent-ils point alors échangé !

(Napoléon et Louis Armstrong se croisent dans la rue.)

ARMSTRONG *(soulevant son chapeau)*

Bonjour, monsieur Napoléon.

NAPOLÉON *(même jeu)*

Bonjour, monsieur Armstrong.

CYCLOPÈDE

Certes, Napoléon et Louis Armstrong n'étaient pas du même milieu (Armstrong n'avait même pas son certificat) et peut-être n'auraient-ils jamais sympathisé. Mais enfin, on peut rêver ? Alors rêvons.

(Napoléon et Louis Armstrong assis côte à côte sur un banc public. Armstrong joue et chante « When the saints... » en s'accompagnant à l'accordéon – trompette – Napoléon s'emmerde profondément.)

ARMSTRONG *(chante)*

When the saints go marching in...

NAPOLÉON

Morne plaine...

(Peu à peu pris par le rythme, il bat la mesure, claque des doigts.)

ARMSTRONG

Ces Corses, quel rythme !

CYCLOPÈDE

ÉTONNANT, NON ?

Raillons l'héroïsme

CYCLOPÈDE

Nous commémorons cette année le quarantième anniversaire de la disparition d'Antoine de Saint-Exupéry.

Saint-Ex… L'aéropostale… Courrier-Sud… Ces mots provoquent-ils encore quelque émoi dans le cœur désabusé de la jeunesse frivole de ces temps décadents ?

Être homme, disait Saint-Exupéry, c'est être responsable. C'est sentir en posant sa pierre *(chute de pierres en polystyrène)* qu'on contribue à bâtir le monde. Merci.

N'oublions jamais cet homme. Et revoyons une ultime fois ensemble ce document qui nous montre Saint-Exupéry après son atterrissage à Rio où, par tous les temps, il fallait que le courrier arrivât.

(Noir.)

Saint-Exupéry

(Effet cinéma – pantalon aviateur beige, bottes courtes noires – sous son parapluie. Sur la tête un casque souple d'aviateur genre Blériot, et vêtu d'une canadienne. Il brandit une lettre et un stylo à la caméra.)

Y a une lettre pour Mme Brouchard ! Faut signer là !

Mme Brouchard

Euh, yé chais pas écrire…

Saint-Exupéry

Cela ne fait rien, dessine-moi un mouton.

Cyclopède

ÉTONNANT, NON ?

Remettons le Petit Prince à sa place

CYCLOPÈDE

De nombreux sous-doués boursouflés d'inculture me demandent pourquoi la Vénus (de Milo) et le Petit Prince (de Saint-Exupéry) étaient fâchés à mort. C'est simple. Revoyons les faits. La Vénus de Milo avait mauvais caractère.

VÉNUS *(à cran)*

J'ai pas de bras, c'est pas le pied.

CYCLOPÈDE

Le Petit Prince, lui, était un fort bel enfant aux grands yeux émerveillés par la beauté des choses.

PETIT PRINCE

Je suis un fort bel enfant aux grands yeux émerveillés par la beauté des trucs.

CYCLOPÈDE

Des choses ! La rencontre du Petit Prince et de la Vénus de Milo dégénéra très vite en drame. Regardez.

PETIT PRINCE

Bonjour, Vénus de Milo.

VÉNUS *(battant des moignons)*

Bonjour, Petit Prince.

PETIT PRINCE *(lui tendant un morceau de papier)*

S'il te plaît, dessine-moi un mouton.

VÉNUS

C'est malin ! Petit con.

CYCLOPÈDE

ÉTONNANT, NON ?

Rendons hommage à Néfertitine

CYCLOPÈDE

Voilà plusieurs siècles que les plus éminents égyptologues du monde *(document égyptien)* se demandent en vain pourquoi les anciens Égyptiens marchaient de profil, alors que mon beau-frère Jean-Louis marche droit, comme le montre ce document extraordinaire.

(Il claque des doigts, on voit le beau-frère traverser le champ en marchant normalement.)

Extraordinaire !

Observons maintenant l'ancienne reine d'Égypte, Mme Néfertitine, se rendant au marché aux esclaves de Pyramide-les-Bains. N'est-elle point grotesque ? Elle prête à rire.

NÉFERTITINE *(cabas sous le bras, marchant de profil)*

Je prête à rire.

CYCLOPÈDE

Mais pourquoi marche-t-elle de profil, dites-vous ? C'est simple. Regardez bien.

(Néfertitine devant son domicile. C'est une pyramide. Avec sa clé, elle ouvre la porte, qui est si étroite qu'elle ne peut pas entrer de front.)

Eh bien oui. Vous avez compris : si les Égyptiens étaient tordus, c'est parce que déjà, quatorze siècles avant Jésus-Christ, les architectes étaient tous des cons.

NÉFERTITINE

ÉTONNANT, NON ?

Rendons hommage à Victor Hugo sans bouger les oreilles

(Éclairage ou décor ambiance « cabaret poétique ».)

CYCLOPÈDE

Victor Hugo est le plus grand poète français de tous les temps. L'élévation de sa pensée et la grandiose majesté de ses alexandrins ont plus fait pour le prestige de la France à l'étranger que le camembert, qui supporte moins bien le voyage.

C'est pourquoi nous devons toujours rendre hommage à Victor Hugo SANS BOUGER LES OREILLES, afin de restituer intact, face au monde ébloui, tout le génie de cet immense Français.

Rendre hommage à Victor Hugo en bougeant les oreilles ? Ce serait un véritable sacrilège. Et je le prouve.

(Deux longs bouts de Scotch pendouillent à ses oreilles. Il les agite et récite six vers d'Hugo – Booz

endormi ? Oceano Nox ? – style France Culture. Très sérieusement.)

(Un temps.)

CYCLOPÈDE

ÉTONNANT, NON ?

Rentabilisons la colère de Dieu

CYCLOPÈDE

Pour peu qu'on l'agace en blasphémant son saint nom, il arrive que Dieu entre dans un état second bien connu sous le nom de « Colère de Dieu ».

Le plus souvent, la colère de Dieu se manifeste sous la forme d'une grandiose tempête wagnérienne dont l'énergie, malheureusement, se dilue en pure perte, au vent mauvais, alors même que les prix du pétrole et du poireau ne cessent d'augmenter. C'est pourquoi nous devons rentabiliser la colère de Dieu.

Comment ? C'est très simple, regardez bien. Je vais maintenant appeler sur moi la colère de Dieu.

Afin de limiter les risques d'excommunication et d'implosion, je demanderai aux chrétiens congénitaux de bien vouloir s'écarter de leur récepteur.

Merci. Attention.

(Grimace, imprécations vers le ciel.)

Nom de Dieu !

(Le ciel se couvre. Tonnerre. – On le retrouve seul dans la campagne avant l'orage – arbuste secoué, vent – cigarette éteinte à la main. – Cyclopède tend sa cigarette, l'allume avec la foudre.)

CYCLOPÈDE *(fumant)*

Eh oui ! Grâce à la colère de Dieu j'ai économisé une allumette.

ÉTONNANT *(toux)*, NON *(toux)* ?

Rentabilisons la minute de silence

(Cyclopède et figurants, tous manteaux et écharpes, tête basse, chapeau à la main : c'est la minute de silence. Envisager flamme sacrée au premier plan.)

CYCLOPÈDE *(chuchotant)*

Afin de s'embuer le cortex d'émouvants souvenirs de carnages internationaux, il arrive que l'homme se regroupe en petits tas moroses pour respecter une minute de silence. Sans vouloir le moins du monde dénigrer cette institution sacrée du génie humain, force nous est cependant de constater que la minute de silence, pour qui la vit avec tout le recueillement souhaité, est extrêmement longue.

Comment faire, alors, pour tuer le temps pendant ces soixante longues secondes ? Eh bien, c'est très simple : profitez-en pour compter vos cheveux.

(Comptant, lèvres remuant à peine)

ÉTONNANT, NON ?

Penchons-nous avec mansuétude sur la détresse ordinaire

CYCLOPÈDE

Démunis de tout, écartelés entre le prix exorbitant du topinambour et la hausse inexorable des loyers des taudis, les pauvres crient famine.

LES PAUVRES *(chœur off)*

Famine !

CYCLOPÈDE

Merci. Dignes dans la douleur, sublimes de résignation, ces malheureux sont nombreux à me faire part de leur souhait de ne pas mourir sans savoir à quoi ressemble un gros billet de banque. Car l'argent, disent-ils, on en entend souvent parler, mais on n'en voit pas souvent la couleur. Eh bien, chers pauvres, soyez exaucés. Vous allez enfin voir la couleur de l'argent. Regardez bien. *(Gros plan sur gros billet.)* Là c'est jaune, c'est joli, là c'est vert, etc. *(En rangeant le billet :)*

ÉTONNANT, NON ?

Rentabilisons un général de brigade entre deux guerres mondiales

(Cyclopède et le général de brigade en tenue de combat avec casque lourd sont assis côte à côte à la même table, sur laquelle se trouve en évidence un kilo de noix.)

CYCLOPÈDE

En temps de paix, le général de brigade s'étiole. La monotonie des jours sans carnage assombrit son regard d'aigle.

GÉNÉRAL

Ce qu'il nous faudrait, c'est une bonne guerre.

CYCLOPÈDE

Il n'a personne à tuer. Il se sent inutile.

GÉNÉRAL

Ce qu'il nous faudrait, c'est une bonne guerre.

CYCLOPÈDE *(utilisant le général comme un casse-noix en lui cognant la tête casquée contre la table)*

Dieu merci, la ménagère avisée saura utiliser le général de brigade à d'humbles tâches domestiques, afin de lui redonner sa joie de vivre entre deux guerres mondiales.

GÉNÉRAL

Ce qu'il nous faudrait…

CYCLOPÈDE *(bouche pleine de noix)*

ÉTONNANT, NON ?

Rentabilisons intelligemment une Paimpolaise anxieuse

(Une Paimpolaise anxieuse : au début, seule à l'image, en costume traditionnel, une main en visière, l'autre sur la hanche, immuable dans la position de la femme guettant le retour du marin.)

(Cyclopède entre dans le champ. À côté de la Paimpolaise, mais dos au lac.)

CYCLOPÈDE

Quoi de plus bouleversant qu'une Paimpolaise dévorée d'angoisse guettant le retour de son marin, sinon deux Paimpolaises dévorées d'angoisse guettant le retour, etc., etc. ?

PAIMPOLAISE *(léger accent du Midi)*

Pour ce qui est de l'angoisse, on peut dire que je suis dévorée.

CYCLOPÈDE

Certes, rien ne lui rendra son cher mari qui gît par trois mille mètres de fond avec un poulpe sur la tête et un harpon dans l'œil. Mais il serait cruel de la foutre à l'eau pour autant, car la bougresse peut encore servir.

(Il l'emporte sous le bras, toujours figée.)

(On retrouve Cyclopède chez lui, assis, lisant son journal sous la Paimpolaise montée en lampe, un bouquet de fleurs sur sa main en visière, cannes et parapluies accrochés à l'autre bras. Soudain, le visage du lampadaire se décompose, de grosses larmes roulent sur ses joues.)

PAIMPOLAISE-LAMPADAIRE

Oh, combien de marins, combien de capitaines…

CYCLOPÈDE

ÉTONNANT, NON ?

Respectons la beauté de la guerre en apprenant à reconnaître l'ennemi

CYCLOPÈDE

À la guerre, il est très important de reconnaître l'ennemi.

Car, sans ennemi, la guerre est ridicule. Comment reconnaître l'ennemi ? C'est très simple, regardez.

(Cyclopède à côté de l'ennemi, fond rideau gris.)

J'ai près de moi l'ennemi.

L'ENNEMI

Je suis l'ennemi.

CYCLOPÈDE *(avec une grande règle)*

Comme vous le voyez, l'ennemi a des oreilles. Il n'est pas très contagieux, mais il est héréditaire. Il est sot : il croit que c'est nous l'ennemi, alors que c'est lui.

(Décor : un mur avec deux fenêtres. Il y a un géranium sur chaque fenêtre. Apparition de l'ennemi avec un pot de géranium sur la tête.)

Quelquefois – c'est le cas ici –, l'ennemi essaie de se déguiser en géranium. Mais on ne peut pas s'y tromper. Pourquoi ? C'est très simple, regardez bien.

Tandis que le géranium est à nos fenêtres, l'ennemi est à nos portes.

L'ENNEMI

Damned, je suis fait.

CYCLOPÈDE *(clin d'œil complice à la caméra)*

ÉTONNANT, NON ?

(À la fenêtre avec un pot de géranium sur la tête.)

Retrouvons le fils caché de Tintin

CYCLOPÈDE

De nombreux imbéciles (ou tintinophiles) me demandent où se trouve actuellement le fils caché de Tintin. Le plus simple est de demander à Tintin lui-même.

(Plan Tintin – soixante-cinq ans – avec haltères – fait sa gym.)

CYCLOPÈDE *(off)*

Depuis sa naissance entre les deux guerres, Tintin n'a pas pris une ride…

TINTIN

Je n'ai pas pris une ride.

CYCLOPÈDE

C'est qu'il surveille son alimentation et qu'il s'interdit toute activité sexuelle depuis la mort de son cher Milou.

TINTIN *(gym)*

Hop ! Hop ! Hop !

(Tintin arrête sa gym et s'assied à son bureau.)

FILS CACHÉ

(Desproges, habillé et maquillé en Tintin, sort de sous le bureau de Tintin.)

Je suis là !

TINTIN

Tintinou !

FILS CACHÉ

Papa !

CYCLOPÈDE

ÉTONNANT, NON ?

Rompons notre solitude avec un marteau

CYCLOPÈDE

« Mieux vaut se tromper tout seul qu'avoir raison avec les autres », disait le poète anarchiste. Peut-être. Il n'empêche que la solitude est lourde au cœur de l'homme, en ce siècle glacé. Pour rompre la solitude, on peut toujours essayer ça :

(On voit Cyclopède en chemise trinquer avec un miroir.)

À la tienne, chéri !...

(Bureau.)

... Mais le miroir ne répond pas, alors que seule la chaleur de la voix humaine peut apporter le réconfort au malheureux solitaire. Alors, essayons cela :

(En imper, fait froid... Col relevé... S'arrête devant un avertisseur de police. Tourne autour,

hésite. Décroche un marteau, brise la vitre, sirène...)

VOIX POLICE

Police. J'écoute.

CYCLOPÈDE *(humble)*

Bonjour, monsieur, ça va bien ? Vous avez beau temps ? *(bis)*

ÉTONNANT, NON ?

Sachons distinguer une balle à blanc d'une balle à noir

CYCLOPÈDE

L'homme moderne se doit de fustiger toutes les formes de racisme avec la dernière véhémence. Après tout, les gens de couleur ne sont-ils point des gens comme nous ?... Comme vous ?

Malheureusement, il est extrêmement difficile de prévoir une émeute raciale. C'est pourquoi il vaut mieux attendre qu'elle ait commencé pour tenter de la mater, grâce à cet ultime rempart de la civilisation contre la barbarie que constitue le Parabellum 9 mm.

(Il en exhibe un dans chaque main.)

Attention, je vais maintenant déclencher une émeute raciale. C'est simple. Regardez bien.

(Cyclopède donne un coup de gong. Combat de boxe entre un Blanc et un Noir. Cyclopède tire sur

chaque homme en même temps. Le Noir seul s'écroule.)

CYCLOPÈDE

Eh bien oui, vous avez compris. Pour mater une émeute raciale à bon escient, il convient de tirer sur les Blancs avec des balles à blanc, et sur les Noirs avec des balles à Noirs.

NOIR *(relevant la tête)*

ÉTONNANT, NON ?

Sachons distinguer une gardienne d'immeuble d'un oléoduc

(Cyclopède est assis à une table de conférencier, entre une concierge et un morceau de pipe-line.)

CYCLOPÈDE

Pour ne pas être ridicule en société, il faut absolument savoir distinguer une gardienne d'immeuble d'un oléoduc.

(Montrant l'une, puis l'autre :)

Certes, à première vue, rien ne les distingue l'un de l'autre. Mais, avec un peu d'entraînement, nous DEVONS y arriver. Alors SEULEMENT nous ne serons plus celui dont on rit en disant : « Quel imbécile ! Il a donné des étrennes à un oléoduc », ou encore : « Quelle andouille ! il a rempli sa concierge de pétrole. » Comment faire, direz-vous ? Regardez bien.

(Il prend le morceau d'oléoduc, le fait tourner : on peut lire : « Paulette. »)

(Se tourne vers la concierge.)

Comment vous appelez-vous, ma brave femme ?

CONCIERGE

Pauline Brouchard. Avec un « d ».

CYCLOPÈDE *(à la caméra)*

Vous avez compris ?... *(un temps)*... Non ? ça ne fait rien, on recommence.

(On bisse à partir de « Il prend le morceau d'oléoduc ».)

Eh bien, oui, c'est ça : le pipe-line s'appelle Paulette, et la pipelette s'appelle Pauline.

ÉTONNANT, NON ?

Sachons faire ronronner une secrétaire trilingue

CYCLOPÈDE *(debout derrière la secrétaire trilingue qui tape frénétiquement à la machine, air dur et cul pincé)*

Trois fois plus débordée que la secrétaire normale, la secrétaire trilingue est d'un abord volontiers revêche.

SECRÉTAIRE *(sans cesser de taper)*

Je suis d'un abord volontiers revêche.

CYCLOPÈDE

Pour lui redonner ce bon sourire de dinde bureaucratique si indispensable au moral des petits chefs, il serait saugrenu d'augmenter son salaire. Le plus simple est d'employer la méthode relaxante du gouzigouzi paraclaviculaire.

(Il se met à lui pétrir tendrement la base du cou.)

SECRÉTAIRE

(Tape de moins en moins vite, tandis que son visage s'illumine de bonheur. Arrête bientôt sa frappe et ronronne. Entre deux ronronnements, elle s'écrie d'une voix « Orly », et en trois langues !)

Oh la vache, quel pied ! Oh the cow, what a foot ! Oh la vacca, quello pedibus !

CYCLOPÈDE

ÉTONNANT, NON ?
ETONNING, NOT ?
ETONNANTO, NADA ?

SECRÉTAIRE

Miaou !

Sachons planter les choux

CYCLOPÈDE

Plus beau que le héron et moins con que la cigogne, le berger landais, gracile et haut perché, n'est pas peu fier de sa situation élevée dans l'échelle sociale.

BERGER *(fond sonore bêlements)*

Je ne suis pas peu fier de ma situation élevée dans l'échelle sociale.

CYCLOPÈDE

On ne saurait malheureusement en dire autant du mendiant landais...

(Un mendiant sur échasses tend en vain son béret au passant.)

... du balayeur landais...

(Balayeur sur échasses, le balai n'atteint pas le sol.)

... et surtout du malheureux jardinier landais qui risque sa vie chaque fois qu'il essaie de planter les choux à la mode de chez nous.

(Jardinier landais tombant en essayant de planter son chou.)

JARDINIER

AAAAAAAAAAAAAAH !!!!!!!... *(visage tuméfié couvert de terre)* « Chavez-vous planter les choux ? »

CYCLOPÈDE *(l'accompagnant en tapant des mains)*

ÉTONNANT, NON ?

Évitons de sombrer dans l'antinazisme primaire

CYCLOPÈDE

De nombreux Français moyens ont un préjugé défavorable à l'égard des nazis.

FRANÇAIS MOYEN

Sans vouloir faire de l'antinazisme primaire, je ne donnerais pas ma fille à un militant du Parti national socialiste. Ah non.

FILLE

T'as raison papa.

JEUNE SS *(bouquet de fleurs à la main, s'en va penaud)*

Bon, ben, tant pis.

CYCLOPÈDE

Et encore, on n'a pas tout dit sur les horreurs et les atrocités de ces gens-là. Prenez Hitler par exemple.

Hitler

Qu'est-ce que j'ai encore fait ?

Cyclopède

Eh bien, savez-vous que non seulement Hitler était nazi, mais en plus, quand il était en vacances, il faisait pipi dans la mer.

Hitler *(en bermuda ou maillot à bretelles à croix gammée sur le derrière)*

Personne n'est parfait…

Cyclopède

ÉTONNANT, NON ?

Sachons reconnaître la Joconde du Jocond

CYCLOPÈDE

De très nombreux amateurs d'art non comprenants me demandent s'il existe un moyen discret de reconnaître au premier coup d'œil la Joconde du Jocond.

(Plan des deux, Joconde + Jocond, derrière un cadre.)

Certes, à première vue, rien ne distingue la Joconde du Jocond. Alors réfléchissons. Comment reconnaissons-nous habituellement un homme d'une femme ?

JOCONDE

Euh… L'homme, c'est celui des deux qui va à la guerre ?

JOCOND

Ben oui, mais en temps de paix ?

CYCLOPÈDE

Mais non ! En temps de guerre comme en temps de paix on reconnaît un homme d'une femme à la forme de son vélo !

(Joconde + Jocond chacun sur un vélo, pédalant.)

ÉTONNANT, NON ?

Sachons reconnaître un centaure d'un percheron

CYCLOPÈDE

Une poignée de boutonneux passionnés de mythologie me demande comment reconnaître un centaure d'un percheron. C'est simple.

Comme nous le raconte Homère Sharif dans *Liliane,* le centaure était un monstre moitié poisson, moitié cochon. Alors que le percheron est un animal mi-homme, mi-cheval.

(Près du percheron-centaure.)

J'ai près de moi un magnifique percheron. Comme vous le voyez, la robe est gris pommelé, la croupe nerveuse et l'air con.

PERCHERON

J'ai l'air con.

CYCLOPÈDE

Le percheron est le fruit monstrueux d'une idylle

contre nature entre un maréchal-ferrant et une jument de mauvaise vie.

PERCHERON

La honte m'empourpre.

CYCLOPÈDE

Toujours est-il que plus aucun doute n'est permis. C'est en forgeant qu'on devient percheron.

(Sortant à cheval sur le percheron.)

ÉTONNANT, NON ?

Sachons reconnaître une tête à claques

(Cinq personnes alignées côte à côte, dont Cyclopède et, en bout de rang, une espèce de Christ.)

CYCLOPÈDE

À l'heure où la machine tend de plus en plus à remplacer la main de l'homme, gifler autrui reste une des dernières joies tangibles de ce siècle inhumain. Mais attention : il est très mal élevé de gifler n'importe qui. Un vrai gentleman ne doit gifler que les têtes à claques !

CHŒUR DES AUTRES

Que les têtes à claques !

CYCLOPÈDE

Mais alors, direz-vous, comment reconnaître une tête à claques ? C'est enfantin. Regardez bien.

(Il les gifle posément, à tour de rôle. À chaque gifle, les quatre premiers giflés ébauchent un geste de recul et disent : « Ça va pas la tête ? »…

… sauf l'espèce de Christ, qui tend la joue gauche, puis la droite, puis la gauche, cinq ou six fois de suite.)

CHRIST

Encore… encore… encore… encore… encore…

CYCLOPÈDE *(sans cesser de gifler le Christ)*

ÉTONNANT, NON ?

Souillons le souvenir illustre d'un généralissime oublié

CYCLOPÈDE *(lettre en main)*

J'ai ici une lettre de Mme Josette Toussaberlin, de Verdun, qui me demande – je cite : « Comment va le général Gamelin ? »

GAMELIN (DESPROGES)

Comment vais-je ?

CYCLOPÈDE

Je tiens à le préciser à l'intention des jeunes d'aujourd'hui, dont les connaissances en histoire de France englobent toute la période allant d'hier soir à demain matin, le général Gamelin était cet habile stratège qui commanda nos troupes de septembre 39 à mai 40.

GAMELIN

C'était bien peu de chose.

CYCLOPÈDE

Hélas ! chère madame Toussaberlin, le général Gamelin n'est plus. Il est mort dans son lit il y a vingt-cinq ans. Pourquoi un si vaillant soldat est-il mort dans son lit, direz-vous ?

(Cyclopède et doublure Gamelin dans le même lit. Gamelin comateux râle, empêchant Cyclopède de dormir.)

GAMELIN

Je vois bien que je dérange. Je vais aller mourir plus loin.

(Il sort en rampant.)

CYCLOPÈDE

Eh bien oui, je l'avoue : si Gamelin est mort dans son lit, c'est parce que je n'ai pas voulu qu'il mourût dans le mien.

GAMELIN *(dans le lit, en dormant)*

ÉTONNANT, NON ?

Touchons du doigt le fond de la misère humaine

(Cyclopède est dans une poubelle municipale, mais on ne s'en aperçoit qu'à la fin.)

CYCLOPÈDE

Il y a deux sortes de personnes sur terre : les gens de droite, et les gens de gauche, qui sont gentils. Les gens de droite ne font pas exprès. Ils sont de droite parce qu'ils n'ont pas touché du doigt la misère humaine. En effet, il suffit de toucher du doigt le fond de la misère humaine pour devenir de gauche, c'est automatique.

Mais comment faire, direz-vous, pour toucher du doigt le fond de la misère humaine à peu de frais ? C'est simple. Regardez bien.

(Il disparaît dans la poubelle après avoir rabattu le couvercle.)

CYCLOPÈDE

Vous regardez bien, hein ?

(Redisparaît. Ressort un instant plus tard, souris grise sur l'épaule.)

Et voilà ! J'ai touché du doigt le fond de la misère humaine. Je suis de gauche.

ÉTONNANT, NON ?

Transformons une grenouille en plombier charmant

CYCLOPÈDE

De nombreuses princesses, lassées de livrer leur corps d'albâtre aux attouchements approximatifs de tristes dauphins dégénérés, échangeraient volontiers leur prince charmant contre un plombier charmant. Le plombier charmant est en effet beaucoup plus viril quoique légèrement plus salissant.

PRINCESSE *(près du prince charmant minable)*

Lassée de livrer mon corps d'albâtre aux attouchements approximatifs d'un triste dauphin dégénéré, j'échangerais volontiers mon prince charmant contre un plombier charmant beaucoup plus viril...

PRINCE CHARMANT *(minable)*

... quoique légèrement plus salissant.

CYCLOPÈDE

Mais, direz-vous, comment faire pour transformer

une grenouille en plombier charmant ? Eh bien, c'est très simple. Il suffit de toucher la grenouille non pas avec une baguette magique, mais avec une clé de 12 magique. Regardez bien.

(Il le fait – fumée, etc.)

PLOMBIER CHARMANT (DESPROGES)

Je suis le plombier charmant !

(Il sort. On retrouve la princesse seule et triste à son rouet. On sonne à la porte.)

PRINCESSE

Qui c'est ?

PLOMBIER CHARMANT *(off)*

C'est le plombier charmant.

(La princesse excitée bat des mains.)

CYCLOPÈDE

ÉTONNANT, NON ?

Tuons le temps en attendant la mort

CYCLOPÈDE

(À son bureau. Assis à ses côtés, un homme à tête de Mickey Mouse avec une oreille en moins, en train de peindre, avec un entonnoir sur la tête. Un téléphone sur le bureau.)

Aujourd'hui, pour tuer le temps en attendant la mort, nous allons jouer à un jeu culturel amusant.

J'ai près de moi un homme. Cet homme est un artiste. Qui est-ce ? À vous de le découvrir, grâce à l'indice qu'il va vous donner lui-même.

HOMME

Je ne suis pas mort à Sainte-Hélène.

CYCLOPÈDE

Voilà qui devrait vous mettre sur la voie. J'attends vos appels.

(Dring. Il décroche...)

Non, madame. Ce n'est pas Bonaparte.

(Dring. Il décroche...)

Oui ! Bravo, madame, c'est Van Gogh. Vous avez gagné !

En effet, chers amis, cet homme n'est pas mort à Sainte-Hélène. De plus, il a une oreille coupée, et il est fou... C'est donc bien Van Gogh, et je le prouve :

(Il montre un berger allemand peint sur une toile de velours – signature Van Gogh.)

ÉTONNANT, NON ?

Visitons la foire aux cactus

CYCLOPÈDE *(Josette assise à la même table)*

Une obsédée mexicanophile, Mme Josette Olé-moutchatcho, me demande quelle est l'origine de l'hymne mexicain, le fameux *Vamos a cantar el dzim Boum Boum.*

JOSETTE

Je suis une obsédée mexicanophile. Le Mexite m'excique… Le Mexique m'esquite… Le Mexique m'excipe… J'aime l'Amérique du Sud.

CYCLOPÈDE

Pour le savoir, il suffit de nous reporter cent cinquante ans en arrière, à la fameuse foire aux cactus de Mexico.

(Une Mexicaine vend des cactus près d'Alonzo le Mexicain qui fait de la poterie.)

MEXICAINE *(criant)*

Y sont beaux mes cactus ! Y sont beaux ! Aïe ! Les beaux cactus !

CYCLOPÈDE *(entre eux)*

Je me retrouve à la foire de Mexico près d'Alonzo, le vieux potier buriné à la tequila…

ALONZO *(timidement)*

C'est pas la tequila. C'est les embruns.

CYCLOPÈDE

… le vieux potier buriné à la tequila. C'est lui, Alonzo, qui a inspiré l'hymne national mexicain. Et je le prouve. Écoutez.

(Ils chantent tous les trois sur l'air de La Marseillaise *:)*

« Alonzo fait de la pot'ri-i-e
Le jour de foire est arrivé. »

CYCLOPÈDE

ETONNANTO, NO ?

Voyons voir si la Sainte Vierge est malpolie

CYCLOPÈDE

De nombreux historiens dignes de foi affirment que la Sainte Vierge est malpolie.

(L'Annonciation : Marie épluche des pommes de terre. L'ange Gabriel entre.)

GABRIEL *(main tendue)*

Je vous salue Marie pleine de grâce…

(Marie le laisse main tendue sans la lui serrer.)

CYCLOPÈDE

D'autres historiens affirment que Marie était trop émue le jour de l'Annonciation pour penser à serrer la main de l'ange, mais qu'en fait c'était une personne fort bien élevée, pour une enfant de pauvre. Elle eut d'ailleurs l'occasion de le montrer de façon éclatante le jour des Rois, le 6 janvier de l'an 1 après Jésus-Christ… Pendant Jésus-Christ, pardon. Regardez bien.

(La crèche. Arrivée des trois Rois mages. Marie se perd en courbettes et civilités.)

MARIE

(Au premier Roi mage, grand blond nordique apportant l'or :) Ah merci ! Ah c'est trop ! ahlalalala ! que c'est beau ! Fallait pas… etc., etc.

(Au second, prince noir couvert de bagues, keffieh, etc. – même jeu.)

(Au troisième Roi mage, style bougnoule Barbès, Marie souriante :) Vous avez vos papiers ?

CYCLOPÈDE *(ou Gabriel)*

ÉTONNANT, NON ?

Voyons si sainte Blandine est cancérigène

CYCLOPÈDE

« Le martyre, c'est le seul moyen de devenir célèbre quand on n'a pas de talent. » Ainsi sainte Blandine figure-t-elle aujourd'hui encore en toute première place au hit-parade des martyres célèbres. On peut l'applaudir.

(Applaudissements nourris.)

BLANDINE

Merci, merci, c'est trop. Merci. Je vous aime à tous. Merci.

CYCLOPÈDE

Chacun sait que sainte Blandine fut livrée aux lions pour avoir dessiné des petites croix sur les murs de Rome. Or la jeune chrétienne fut miraculeusement épargnée par le fauve.

BLANDINE *(se maquillant outrageusement)*

Authentique.

CYCLOPÈDE

Mais s'agissait-il vraiment d'un miracle ? Eh bien non. Regardez bien.

(Cyclopède apporte le plat au lion assis à la table truquée. Le lion soulève le couvercle et découvre la tête outrageusement maquillée de Blandine.)

LION *(repoussant ses couverts, écœuré)*

Beurk !

(Le lion referme la cloche.)

CYCLOPÈDE

Eh oui, vous avez compris. Bourrée de colorants, sainte Blandine était cancérigène.

ÉTONNANT, NON ?

Crédits photographiques
Archives H. D., 71, 85, 137. – Stills/Farré, 4, 47.
V. Stroh, 23, 99, 121, 153.

Maquette et réalisation : PAO Éditions du Seuil
Photogravure : Charente Photogravure
Impression : Mame à Tours
Dépôt légal : mars 1997. N° 31427-5 (98052158)